FIREPROOF children

Prevention First

PARTNERSHIPS FOR INJURY PREVENTION

One Grove Street, Suite 235, Pittsford, NY 14534
www.fireproofchildren.com Second printing: 2010.

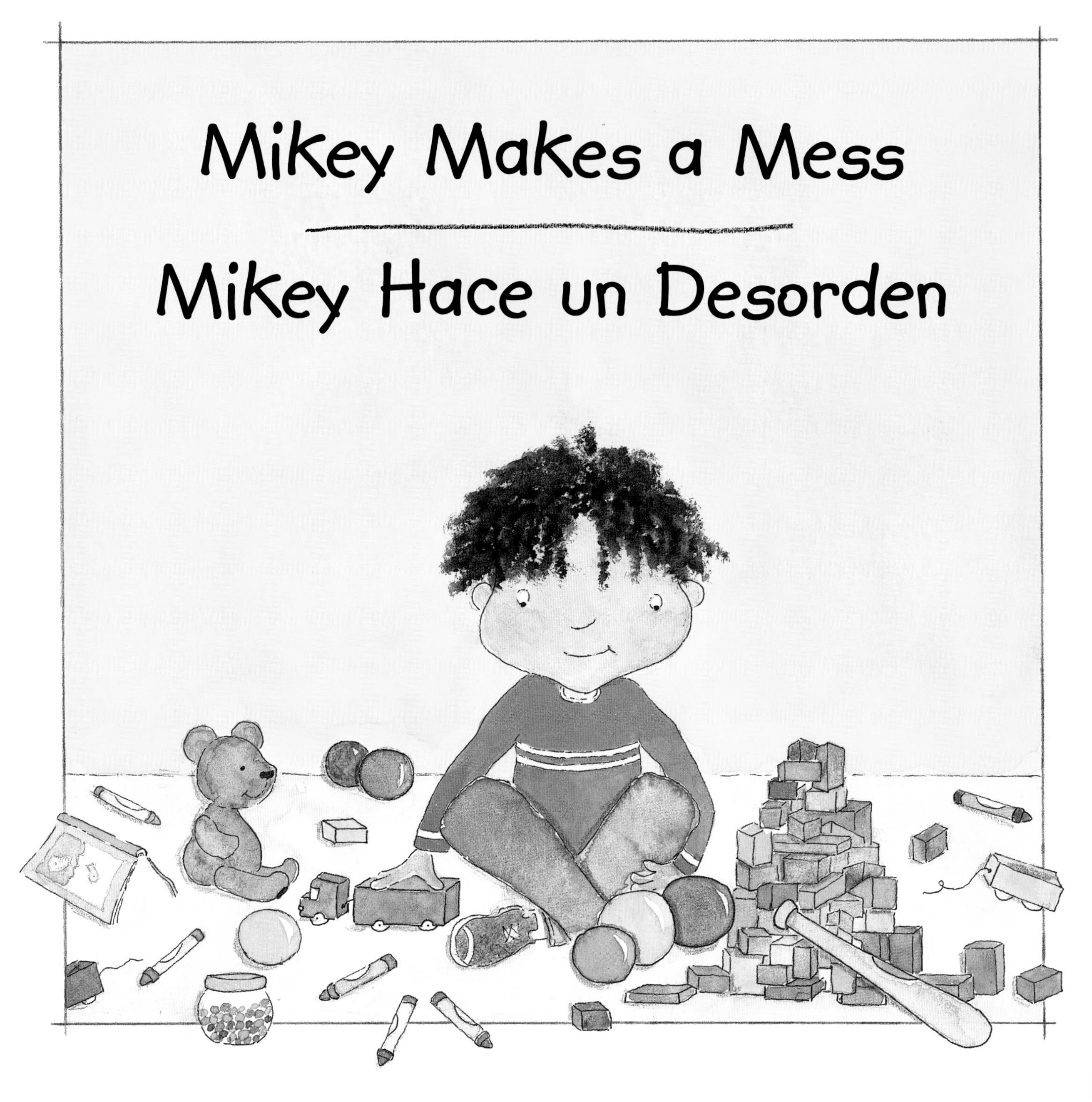
Mikey Makes a Mess
Mikey Hace un Desorden

Mikey was a little boy who liked to leave his things just where he wanted them.

Mikey era un pequeño niño a quien le daba gusto dejar sus cosas donde él las deseaba.

He left his sneakers on the floor where he could step right into them. "Please pick up your sneakers," said his mommy.

Él dejó sus zapatos en el piso donde podría ponérselos fácilmente. "Recoge por favor tus zapatos," dijo su mami.

He left his books out where he could pick them up and read them any time. "Please put away your books," said his daddy.

Él dejó sus libros fuera donde podría tomarlos y leerlos en cualquier momento. "Guarda por favor tus libros," dijo su papi.

GARRETT'S BIG DAY
TODDY & the cats
sammy swims
Once upon a
the MICE and the moon
Zac Quack

He left his toys near the front door. That way they were ready for him to play with the minute he got home from school. "Please, please don't leave your toys lying around," said his parents.

Él dejó sus juguetes cerca de la puerta delantera. De esta manera, ellos quedaban listos para él jugar el minuto que llegara de la escuela. "Por favor, no dejes tus juguetes regados," dijeron sus padres.

Mikey didn't see why his
parents made such a fuss
about him leaving things out.
He liked his things to be
right where he left them.

Mikey no entendía porqué sus
padres se quejaban cuando él
dejaba sus cosas fuera de lugar.
Él sentía gusto en encontrar sus
cosas justo donde él las dejó.

One day, Mikey left one of his toys waiting for him in front of the door. But Mikey's daddy found it first.

Un día, Mikey dejó uno de sus juguetes esperándole delante de la puerta. Pero su papi los encontró primero.

"That's why you shouldn't leave things lying around!" said his daddy. "It's dangerous."

"Por eso no debes dejar las cosas regadas," dijo su papi. "Es muy peligroso."

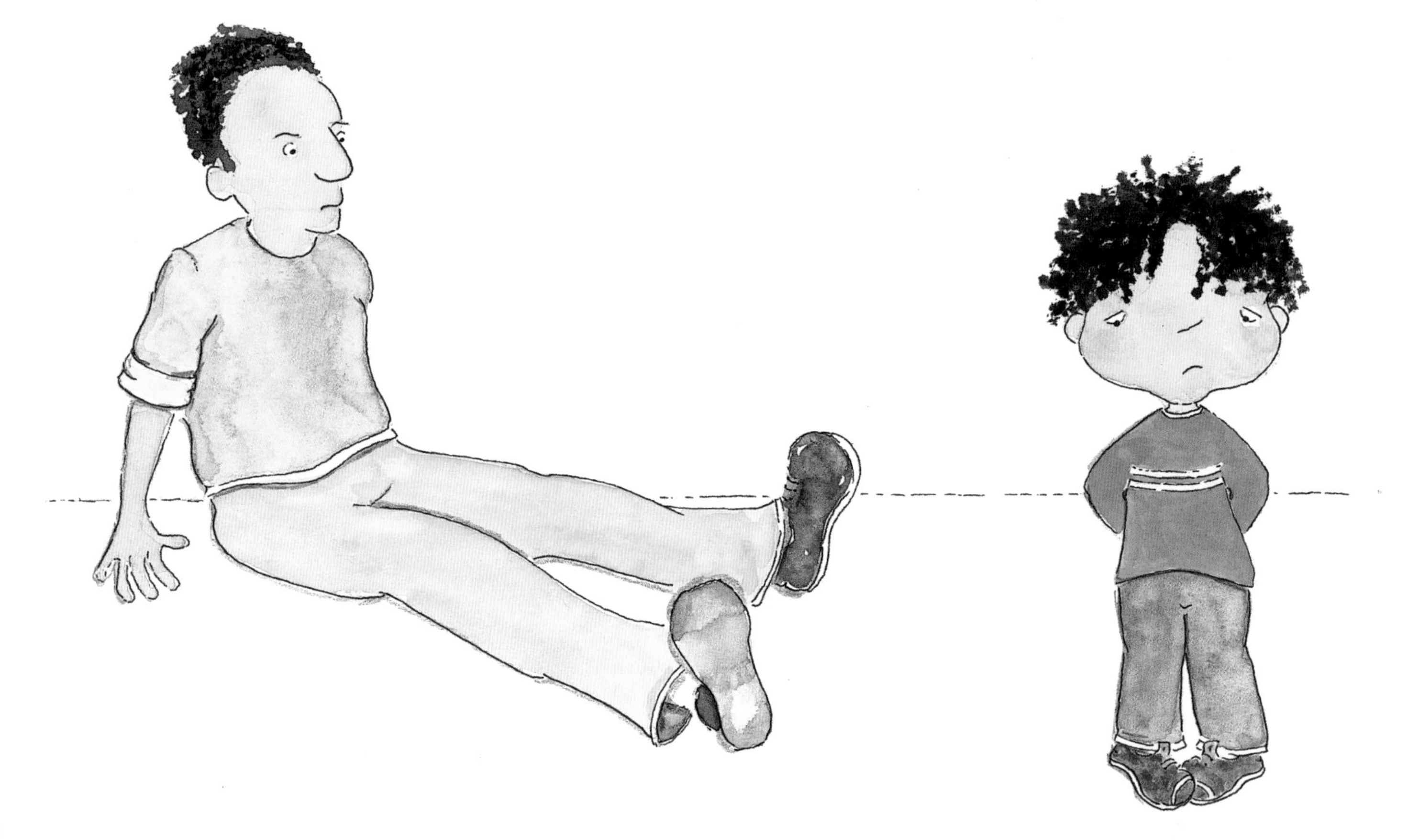

Mikey was very sorry. He was so sad that he went into the kitchen to sit by himself.

Mikey se arrepintió y se sentia muy infeliz. Él estaba tan triste que entró a la cocina para sentarse solo.

Then he saw something
his daddy had left on
the kitchen table.

Entonces él vio algo que
su papi había dejado
en la mesa de la cocina.

Mikey ran to tell his daddy. "I found *something* dangerous!" "What is it?" asked his daddy. Mikey led him *back* to the kitchen and pointed.

Mikey corrió para decirle a *su* papi. "¡Encontré algo peligroso!" "Qué es?" Preguntó *su* papi. Mikey llevo a *su* papi hasta la cocina y señaló.

"You're right, Mikey. I shouldn't leave these lying around. Matches are for adults only."

Tienes razón Mikey. No debo dejar estos fuera de lugar. Los cerillos son para adultos solamente.

"Good job Mikey." "We'll both remember to put things away now!"

"Te felicito Mikey." "¡Ahora ambos podremos recordarnos a recoger las cosas!"

For Kids

- Did you find the 5 smoke alarms in this book?
- Can you find the smoke alarms in your house?
- What would you do if you saw matches or lighters left out?

Para niños

- ¿Encontraste las 5 alarmas de humo en este libro?
- ¿Puedes encontrar las alarmas de humo en tu casa?
- ¿Que harías tú si ves cerillos ò encendedores fuera de lugar?

For Parents

- Do you have a messy "Mikey" in your home? Ask your child to help keep the whole family safe by picking up. When stairs, hallways and pathways are clear, everyone can get out quickly and safely if there is a fire (remember, it may be dark).
- Does your home have a working smoke alarm? You can get one, often for free, from your local fire department. Check the batteries once a month.
- Does your child know matches and lighters are for adults only? Keep these adult tools out of sight and out of reach.

Para adultos:

- ¿Vive en su casa un niño desordenado como Mikey? Pídale a su niño que ayude a mantener a la familia segura arreglando el desorden. Cuando las escaleras, los pasillos y los caminos se encuentran libres, todos pueden escapar rápidamente en caso de incendio (recuerde puede estar muy oscuro).
- ¿ Tiene usted alarmas de humo que funcionen en su hogar? Usted las puede obtener, en su mayor parte gratis, de su departamento de bomberos. Revise las pilas una vez al mes.
- ¿Sabe su niño que los cerillos y encendedores son para los adultos solamente? Mantenga estas herramientas para adultos fuera de la vista y del alcance de los niños.

Visit Mikey on these websites

Visite a Mikey en nuestra pagina electrónica

www.fireproofchildren.com & www.homefiredrill.org

About the Author and Illustrator

Carolyn E. Kourofsky is a freelance writer specializing in health and safety, travel and lifestyle articles. Her work has appeared in Young Children, Children and Families, Firehouse, Fire Chief, Post City Magazines, and other national publications.

Jennifer Glanton is Program Manager for Fireproof Children/Prevention First Company. In this, her debut as a children's book illustrator, she combines her artistic skills with expertise in safety and fire education for young children.

Fireproof Children/Prevention First is an international center for injury prevention research and education.

Acerca de las autoras é ilustradoras

Carolyn E. Kourofsky es una escritora independiente especializada en artículos sobre la salud, la seguridad, los viajes y la forma de vida. Sus obras se han presentado en las revistas Young Children, Children and Families, Firehouse, Fire Chief, Post City Magazines, y otras publicaciones nacionales.

Jennifer Glanton es Gerente de Programas en la compañía Fireproof Children/ Prevention First. En este, su debut como ilustradora de libros para niños, ha combinado sus habilidades artísticas con su experiencia en educación preventiva para los niños pequeños.

Fireproof Children/Prevention First es un centro internacional de investigación y educación preventiva.